D1161036

LÉONARD TOME 28
GÉNIE TOUJOURS... PRÊT

Première édition : novembre 1998 - ÉDITIONS APPRO
© 1998 ÉDITIONS APPRO S.A. - Genève

Achevé d'imprimer en novembre 1998
sur les presses de l'imprimerie Lesaffre en Belgique

Dépôt légal novembre 1998

ISBN : 2 88425 012 3
43 4850 4

GÉNIE TOUJOURS... PRÊT !

DISCIPLE, BONNE NOUVELLE!

ON... ON EST DIMANCHE?

LE CRI QUI TUE?!

SOT!... UN DIMANCHE, ON EN A EU UN LA SEMAINE PASSÉE... QUAND AU PROCHAIN... COMME ON EST DÉJÀ MARDI...

C'EST BROUSSE LI!

NON, DISCIPLE, NON!... LA BONNE NOUVELLE, C'EST QUE **LE GÉNIE M'HABITE!**...

OH!

JE VOUS DEMANDE PARDON??

EUH... NON... ENFIN... JE VOULAIS DIRE... BREF... COMMENT DIRE?... OUI!... J'AI EU UNE IDÉE GÉNIALE!... REGARDEZ...

C'EST TRÈS VILAIN DE DIRE DES GROS MOTS!...

SI JE FAIS ÇA, ÇA VOUS FAIT PENSER À QUOI?...

...MA MAMAN ME LE DISAIT TOUJOURS!...

1243

1

EUH... À... À RIEN!...

C'EST LA BONNE RÉPONSE! NORMAL JE VIENS D'INVENTER CE GESTE À L'INSTANT!

À LA MAISON, ON N'AVAIT MÊME PAS DROIT À DES MOTS COMME PIPI-CACA-BOUDIN!...

...NI PROUT!...

...CE SERA LE SALUT SCOUT! LE SCOUTISME, C'ÉTAIT ÇA MON IDÉE GÉNIALE QUE JE VENAIS D'INVENTER!

AKÉLA, MEUTE-MEUTE, YOUKAÏDI, YOUKAÏDA ET TOUT LE BAZAR!

TOC TOC

3

SERAIT-CE TROP VOUS DEMANDER QUE D'ÊTRE UN BRIN PLUS PRÉCIS !

LE SCOUTISME EST UN MOUVEMENT DE JEUNESSE QUE JE VOUDRAIS METTRE SUR PIED POUR OCCUPER LES DIMANCHES DES GARÇONS ET DES FILLES ...

SÉPARÉMENT, BIEN SÛR !... ON NE RÊVE PAS !

J'AI RÉDIGÉ UN MANUEL DU PARFAIT PETIT SCOUT MATHURINE TERMINE LES UNIFORMES QUE J'AI CRÉÉS ET MOI, JE METS LA DERNIÈRE MAIN À MON SIFFLET !

EUH ... PLAÎT-IL ?

ÇA Y EST ! IL RECOMMENCE, LE VIEUX AVEC SES VILAINS MOTS !

EUH ... JE VEUX DIRE ... CE ... C'EST AUSSI UNE INVENTION !... ENFIN BREF ... EUH ... BON ... VOUS VERREZ

LE SCOUTISME, C'EST FAIRE TRAVERSER LA RUE À DE VIEILLES DAMES, MÊME SI ELLES N'EN ONT PAS ENVIE, FAIRE DES BONNES ACTIONS (B.A.) CHANTER "COLCHIQUE DANS LES PRÉS" ET ÊTRE PRÊT À RENDRE SERVICE À TOUT LE MONDE ET AUSSI AUX AUTRES ...

... ET LÀ, JE RÉSUME !

PARCE QUE C'EST AUSSI LA VIE DU GRAND AIR, LA PURETÉ, L'AMITIÉ, LA ... LA ... EUH ... LA QUOI DÉJA ... ?

L'AMICALE DES ANCIENS COMBATTANTS !...

HI ! HI !

PAF

... LA PAROLE DONNÉE QUE L'ON RESPECTE ...

TIENS !

ENFILONS NOS UNIFORMES PENDANT QUE MATHURINE TERMINE NOTRE PAQUETAGE !... APRÈS, NOUS POURRONS TESTER TOUT ÇA !

V'LÀ L'BON VENT, V'LÀ L'JOLI VENT !... ♫♫

JE SENS QUE J'VAIS PAS VRAIMENT ÊTRE FOU DE ÇA, MOI !...

2

ALORS: EXÉCUTION !!!
ET DANS LA JOIE ET LA BONNE HUMEUR !

TACTACTAC
GLOUGLOUGLO

TACTACTAC
GLOUGLOUGL

MAIS ?!?

J'AI LE TACTAC DE LA CORVÉE BOIS, LE GLOUGLOU DE LA CORVÉE EAU MAIS IL ME MANQUE LE BRUIT DE LA CORVÉE PATATE !...

DISCIPLE !

ÉPLUCHE
ÉPLUCHE
ÉPLUCHE

BON, MAINTENANT, LE PROGRAMME DES ACTIVITÉS...

NOUS ALLONS COMMENCER PAR LA PROMESSE SCOUTE !...

LE SCOUT MÉRITE CONFIANCE !...

BON, BEN POUR MOI, C'EST DÉJÀ FOUTU !

"LE SCOUT S'ENGAGE LÀ OÙ IL VIT !... LE SCOUT REND SERVICE ET AGIT POUR LA JUSTICE ! LE SCOUT SE VEUT LE FRÈRE DE TOUS ... LE SCOUT ACCUEILLE ET RESPECTE LES AUTRES !...

MÊME LES INVENTEURS ?

"LE SCOUT DÉCOUVRE ET RESPECTE LA NATURE !... LE SCOUT FAIT DE SON MIEUX,... LE SCOUT SOURIT ET CHANTE, MÊME DANS LES DIFFICULTÉS !...

IT WAS A HARD DAY'S NIGHT !...

"... LE SCOUT PARTAGE ET NE GASPILLE RIEN ! LE SCOUT DÉVELOPPE SON CORPS ET SON ESPRIT !..."

HO !... À L'IMPOSSIBLE, LE SCOUT N'EST TENU !

"... ET POUR TERMINER, UNE DERNIÈRE PETITE LOI QUE JE VIENS D'AJOUTER, LÀ, SUR LE TAS ..."

"... LE SCOUT N'INTERROMPT PAS SON AKÉLA QUAND IL ÉNONCE LA LOI SCOUTE !

BLAM

ET MAINTENANT, NOUS ALLONS PASSER À UN AUTRE MOMENT IMPORTANT DE LA VIE DU SCOUT !

LE FSCOUT FANTE DANS LA DIFFICUL-TÉ !

REQUIEM ♯♩

...LA TOTÉMISATION !...

AH NON ! PAS ÇA !... ÇA DOIT FAIRE TRÈS MAL !

LA TOTÉMISATION CONSISTE EN UN NOM D'ANIMAL DONNÉ AU MEMBRE ET QUI DÉSIGNE COMMENT LES AUTRES MEMBRES DE LA TROUPE LE PERÇOI-VENT... CE NOM D'ANIMAL DOIT RESSEMBLER AU TOTÉMISÉ, TANT AU POINT DE VUE CARACTÈRE QUE PHYSIQUE...

LÀ, JE CRAINS LE PIRE !!!

AVEC LE TOTEM, ON REÇOIT UN "QUALI", UN QUALIFICATIF QUI MET EN AVANT UNE DES PRINCIPA-LES QUALITÉS DE L'INTÉRESSÉ...

AH MAIS, J'AI TOUT COMPRIS !... ET C'EST À NOUS DE CHOISIR POUR VOUS LE NOM DE L'ANIMAL ET SON QUALIFI-CATIF QUI VOUS COLLERAIT LE MIEUX À LA PERSONNALITÉ !

C'EST CELA MÊME !

ALORS, QUE PENSEZ-VOUS DE CELUI-CI POUR VOUS : **BUTOR SADI-QUE !?**

BLAM

FI ON NE PEUT MÊME PLUS FE MARRER, IFI, ALORS !...

... FA F'EST FORT !

NOM D'UN FIEN DE NOM D'UN FIEN !

CHOMP

VOUS AVEZ TOUT FAUX !... MOI, LE TOTEM QUI ME CONVIENT, C'EST "LION INVENTIF" POUR VOUS D'AILLEURS, J'EN AI UN QUI VOUS IRA COMME UN GANT : "LOIR PARESSEUX" !...

ATTENTION, JE N'AI PLUS QUE 128 UNIFORMES !...

RAOUL, LUI, CE SERA "GLOUTON GLOUTON" !

GLOUTON ? PARCE QUE JE ME SUSTENTE UN BRIN ?

CRONCH

"BERNADETTE : "SOURIS INGÉNUE" !

ELLE INGÉNUE ?

TIHI !

QUANT À MATHURINE, J'AI PENSÉ À "ÉLÉPHANTE DIAPHANE" !...

MON ONCLE ALBERT, CELUI QUI A FAIT LA LÉGION BEN, C'ÉTAIT UN BEL INGÉNU LUI AUSSI TIENS ! HOHO !

PAF

EUH... ON PRENDRA PLUTÔT GAZELLE SUSCEPTIBLE !...

... FINALEMENT !

ET MAINTENANT, DIS... EUH... LOIR PARESSEUX, ALLUMEZ DONC LE BEAU TAS DE BOIS PRÉPARÉ PAR GLOUTON GLOUTON ET SOURIS INGÉNUE. NOUS ALLONS FAIRE UN BON FEU DE CAMP !

DISCIPLE!

BEN... EUH... JE M'ÉTAIS DIT QUE ÇA PRENDRAIT MIEUX AVEC UN PEU D'ESSENCE!

ON A RUDEMENT BIEN FAIT DE SE TIRER!... LE PROPRIÉTAIRE DU BOIS ARRIVE!

TOUT ÇA N'EST PAS BIEN GRAVE CAR IL M'EST VENU UNE AUTRE IDÉE, BIEN MEILLEURE!

...ET JE M'Y ATTAQUE À L'INSTANT!

ET QUELQUES JOURS PLUS TARD...

BIENVENUE AU CAMP... GAUCHE, DROITE, GAUCHE, DROITE! OUANE TOUE OUANE TOUE!...

CAMP DISCIPLINAIRE DUR DE DUR

QUELQUE CHOSE ME DIT QUE JE VAIS PAS ÊTRE FOU DE ÇA NON PLUS, MOI!...

11

OÙ ES-TU, Ô TOI ?....

AH ! TE VOILÀ !

JE SUIS CONTENT DE TE VOIR PARCE QUE JUSTEMENT, JE VOULAIS TE FÉLICITER !

L'INVENTION QUE TU VIENS DE TROUVER EST TOUT BONNEMENT.... EUH.... COMMENT DIRAIS-JE ?.... GÉNIALE ?

C'EST ÇA ! C'EST LE MOT : GÉNIALE !

?

IL FALLAIT QUE JE TE LE DISE !.... DANS MES BRAS !....

POUAH !

À QUI PARLEZ-VOUS COMME ÇA, MAÎTRE ?.... AU MIROIR ?....

AU MIROIR, AU MIROIR... C'EST VITE DIT ! CE N'EST JAMAIS QU'UN PÂLE REFLET DE MON GÉNIE !....

C'EST ÇA ! ET GROSSIER EN PLUS !

ET C'EST QUOI, CETTE NOUVELLE INVENTION QUE JE FINIRAI, HÉLAS, PAR TESTER ?....

QUE SE PASSE-T-IL SÉANT ?

ÇA !

10

11

À VOTRE AVIS... C'EST QUOI, CES OBJETS?... VOUS VOYEZ QUOI, LÀ ?...

REPRIT LE PREMIER QUIDAM...

JE VOIS SURTOUT LÀ UNE SOURCE D'ENNUIS ET DE DOULEURS DIVERSES!...

BOBO!

EN QUELQUE SORTE!

FAUX!... MAIS VOUS AVEZ DROIT À UNE SECONDE CHANCE!

EUH...

VISIBLEMENT, LE DEUXIÈME QUIDAM HÉSITAIT!...

ALORS PEUT-ÊTRE BIEN QU'IL S'AGIT D'UNE ENCLUME : N.F. DU LATIN INCUS, INCUDIS, MASSE MÉTALLIQUE DESTINÉE À SUPPORTER LES CHOCS DANS DIVERSES OPÉRATIONS QUI SE FONT PAR LA FRAPPE, ENCLUME DE FORGERON, DE SERRURIER, DE COUVREUR, DE CORDONNIER, ETC ...

À CES MOTS, CE PREMIER QUIDAM EUT L'AIR PERPLEXE, AFFIRME UN TÉMOIN, HEIN BERNADETTE ?...

C'EST BIEN ÇA, MON RAOUL!

RE-FAUX! ENFIN PRESQUE!

CRACHA LE PREMIER QUIDAM DONT ON DEVAIT APPRENDRE TRÈS VITE QU'IL S'APPELAIT LÉONARD...

SOULEVEZ-DONC L'OBJET DISCIPLE!

FIT LÉONARD À CELUI QUI RÉPONDAIT AU SOBRIQUET DE DISCIPLE!

MPPFMF!

"MPPFMF" ÇA PREND UN OU DEUX "F"?

HEIN?

DIF... DIFFICILE!... TROP LOURD!... PFF... PFF...

ET PFF!

ATTENDEZ!

ET MAINTENANT?

PCHHT PCHHT

MAIS!?? C'EST DEVENU INCROYABLEMENT LÉGER!...

12

NORMAL ! LE NORMOPHÉTOLICYAMIMOLDEQUOILINO-CHLORINATRASCORBISACHARIMAGNÉSICHOLOÏDA-MATIMATOLUM SIMPLE À AGIT !

NORMOPHÉTU... ?

... ET ÇA VEUT DIRE QUOI, TOUT ÇA, MAÎTRE ?...

QUE J'AI TROUVÉ DANS MON CERVEAU À MOI, LA SOLUTION POUR TRANS-FORMER EN ALIMENT N'IMPORTE QUEL OBJET !

NON ?...

"MORPHOTU"...

PUISQUE JE VOUS LE DIT !... TENEZ, GOÛTEZ-MOI CETTE ENCLUME ET VOUS M'EN DIREZ DES NOUVELLES !...

?

CHOMP !

CRUNCH !

?

..."TOLPHÉ MONOR"...

MAIS !?!... ÇA A LE GOÛT DU CHOCOLAT !?!

EXACT !

MAIS J'AURAIS AUSSI PU VOUS LA JOUER VANILLE, FRAISE, MENTHE, MOKA, FRAMBOISE, BANANE, MELON...

VOIRE MÊME PISTACHE !

MAIS C'EST TOUT SIMPLEMENT **FANTASTIQUE !**

ALLONS-Y DONC POUR LE TEST SCIENTIFIQUE !... JE SERS LA SCIENCE ET C'EST MA JOIE !...

MIAM !

PORNOTHÉPHA...

16

BON !... VOILÀ, C'EST TERMINÉ ...

SAINT NICOLAS SERA CONTENT !

VOYONS, À PRÉSENT, **QUI** M'A VOLÉ MON ENCLUME ... MATHURINE !

VOILÀ ! VOILÀ ! J'ARRIVE !

QUE FAISIEZ-VOUS ENTRE 16H ET 16H45 ?

MOI ? J'ÉTAIS À LA TEINTURERIE QUE VOUS AVEZ INVENTÉE HIER ET À LAQUELLE VOUS M'AVEZ DEMANDÉ DE PASSER !

AH OUI ! C'EST VRAI !... J'AVAIS OUBLIÉ !... ET VOUS, DISCIPLE, OÙ ÉTIEZ-VOUS ?

BEN, AVEC VOUS, MAÎTRE !

NOUS, COMME TOUS LES JOURS À CETTE HEURE-LÀ, ON DANSAIT LE TANGO ...

HEIN, BERNADETTE !

OUI, MON RAOUL !

ET MOI, J'ÉTAIS CHEZ L'OSTÉOPATHE !...

HMMM !... DONC, ÇA NE PEUT VENIR QUE DE L'EXTÉRIEUR !... HEUREUSEMENT QUE J'EN AI D'AUTRES, DES ENCLUMES, MAIS TOUT DE MÊME !

DRAiiiiNG

?

BONJOUR, VOUS VOULEZ DES BILLETS POUR LE BAL DE LA POLICE ?...

NON !

SLAM

QUI OSE DÉRANGER L'INSPECTEUR GRASSOUILLET PENDANT SON ENQUÊTE ?... HÉ ! MAIS !?? MON ENCLUME ?... ON M'A VOLÉ MON AUTRE ENCLUME ?

DRAiiiiNG

16

OUI! VOILÀ, VOILÀ! QU'EST-CE QU'IL Y A ENCORE?

À VOT' BON CŒUR, M'SIEUR DAME...

ATTENDEZ, MON BRAVE!

MERCI, MON BON MONSIEUR!

SLAM

NON MAIS!?? MON ENCLUME!.... ON M'A RE-VOLÉ MON ENCLUME!

Y A PAS, FAUT QUE J'EN PRENNE UNE AUTRE!

ÇA SE COMPLIQUE!...

DRAÏÏÏING

ENCORE!

LES LIGNES DE LA MAIN?...

MON BRAVE?

GRRR!

DRAÏÏING

?

FUITES D'EAU? PANNE DE COURANT?... S.O.S. JOSEPH RÉPARE TOUT!

SLAM

17

DISCIPLE, DEBOUT!

SLAM

PFIOUUU!... Y A PAS À DIRE, ÇA DÉCOIFFE!...

ÇA DÉCOIFFE ET J'EN AI MARRE!

IL Y A LONGTEMPS QUE JE VOULAIS VOUS DIRE CE QUE JE PENSAIS RÉELLEMENT DE VOUS!... EH BIEN, C'EST POUR AUJOURD'HUI!...

VOUS ÊTES UN SALE GOSSE GÂTÉ!... ET UN VIEUX RONCHON! PRÉTENTIEUX!...

UN GÉNIE DE L'ÉGOÏSME, UN NULLISSIME PATENTÉ!...

PARFAITEMENT!

UN ANTIPATHIQUE PATHÉTIQUE... UN JOBASTRE... UN...

UN CAPODASTRE!

BLAM

CLIC

DNNN

19

ZAP

QUELQUE CHOSE M'ÉCHAPPE, ICI!...

DISCIPLE, DEBOUT!

SLAM

PFIOUUU!!... Y A PAS À DIRE, ÇA DÉCOIFFE!...

ÇA DÉCOIFFE ET J'EN AI MARRE!

IL Y A LONGTEMPS QUE JE VOULAIS VOUS DIRE CE QUE JE PENSAIS RÉELLEMENT DE VOUS!... EH BIEN, C'EST POUR AUJOURD'HUI!...

VOUS ÊTES UN SALE GOSSE GÂTÉ!... ET UN VIEUX RONCHON, PRÉTENTIEUX!...

UN GÉNIE DE L'ÉGOÏSME, UN NULLISSIME PATENTÉ!...

PARFAITEMENT!

UN ANTIPATHIQUE PATHÉTIQUE... UN JOBASTRE... UN...

UN CAPODASTRE!

BLAM

CLIC

DNNN

ZAP

20

DISCIPLE, JE NE SAIS PAS À QUOI VOUS JOUEZ AVEC MON TRANSPORTEUR TEMPOREL INDIVIDUEL, MAIS ARRÊTEZ ÇA TOUT DE SUITE, VOUS ALLEZ FINIR PAR ME L'ABÎMER!

WOAAH! LA VACHE, ÇA FAIT UN BIEN FOU DE SE DÉFOULER COMME ÇA!

J'AI COMME L'IMPRESSION D'AVOIR DÉJÀ VÉCU CET INSTANT!

?

LA... LA VOI... LA VOI...

LA VOITURE ?... LA VOIRIE ?... LA VOILE ?...

LA VOIX DE BON MAÎTRE ?

NON !... LA VOISINE !... ON A UNE NOUVELLE VOISINE !...

BONJOUR !

GASPE !

RITA DECCORAZON DE FUEGO, VOTRE NOUVELLE VOISINE !

...JE VIENS D'EMMÉNAGER !

LÉONARD, VOISIN AUSSI ! QUELLE COÏNCIDENCE... UN PEU DE THÉ, PEUT-ÊTRE ?...

VOLONTIERS... AVEC UN NUAGE DE LAIT DEMI-ÉCRÉMÉ, UNE SUCRETTE ET UN BISCUIT LIGHT !...

27

EH BIEN, JE VOUS SOUHAITE LA BIENVENUE RITA !... JE PEUX VOUS APPELER RITA ?...

J'ALLAIS VOUS EN PRIER, LÉO !

...TOUT A COMMENCÉ PARCE QUE JE CHERCHAIS UNE MAISON À LOUER, VU QUE CARMEN, MA GRAND'TANTE (UNE SAINTE FEMME, ELLE M'A ÉLEVÉE) A VENDU SA MAISON POUR ALLER VIVRE AU GABON AVEC UN GARS BIEN, UN CHIRURGIEN DU NOM D'ALBEW !... IL NE ME RESTAIT DÈS LORS PLUS QU'UNE SOLUTION: VIVRE SEULE !... VOILÀ ALORS QUE JE TOMBE MALADE MAIS COMME VOUS ALLEZ LE VOIR, À QUELQUE CHOSE, MALHEUR EST BON ! AYANT ATTRAPÉ LA GRIPPE... EN EFFET, J'ÉTAIS SORTIE LA VEILLE...

... AH! J'AI APPRIS QUE C'ÉTAIT VOUS QUI AVIEZ INVENTÉ LE TÉLÉPHONE?... LÀ, JE DIS BRAVO! PARCE QUE VOILÀ UNE BELLE INVENTION!!... VOTRE AUTRE VOISINE, CELLE DE GAUCHE M'A DONNÉ SON NUMÉRO, LE DEUX, ET DEPUIS, ON N'ARRÊTE PAS DE S'APPELER POUR PAPOTER ENSEMBLE AUTOUR D'UNE TASSE DE THÉ AVEC DES PETITS GÂTEAUX!... D'AILLEURS, ELLE M'A DONNÉ LA RECETTE DE LA CHARLOTTE AU CHOCOLAT!!... POUR SIX PERSONNES... VOUS PRENEZ...

AU REVOIR !!!

ET LE SOUFFLÉ AU ROQUEFORT!... VOUS CONNAISSEZ LA RECETTE DU SOUFFLÉ AU ROQUEFORT?... PARCE QUE LA VOISINE, CELLE DONT LE NUMÉRO EST LE DEUX...

GRRR!!!...

IL FAUT RÉAGIR!

C'EST LE MOT QUE JE CHERCHAIS!

CONSTITUONS UNE CELLULE QUI SE PENCHERA SUR LE PROBLÈME!

DITES!...

... J'AI OUBLIÉ DE VOUS DONNER MON NUMÉRO DE TÉLÉPHONE!... C'EST LE TROIS!

MERCI ET AU REVOIR!

C'EST ÇA, AU REVOIR!

PFIÛÛÛ!

CETTE FOIS, C'EST LA GUERRE !

DE L'ESSENCE DE CARPE !...

...C'EST MUET, ÇA !

... UN PEU DE MOTUS ...

... ET DE BOUCHE COUSUE... UN PEU D'OR ...

PUISQUE LE SILENCE N'EST FAIT QUE DE ÇA ...

... ET ON CHAUFFE EN TOUILLANT !...

TOUILLE TOUILLE TOUILLE

... PUIS ON VERSE DANS LE FLACON APPROPRIÉ ET...

YOUHOU !... C'EST ENCORE MOI !...

... FIGUREZ-VOUS QUE J'AI OUBLIÉ DE VOUS DIRE QUELQUE CHOSE !...

VOUS TOMBEZ BIEN, VOUS !

... VOILÀ, JE ...

PSCHH PSCHH PSCHH PSCHH

...

ALORS LÀ, JE DIS : CHAPEAU, MAÎTRE ! VOUS AVEZ FAIT TRÈS FORT !

EH BIEN, VOILÀ UN „**TEHEU**„ BON DÉBARRAS„„ **TEHEU**„ MAIS„„ **TEHEU**„ ON A AUSSI „**TEHEU**„ RESPIRÉ DU PRODUIT ET JE „**TEHEU**„ ME DEMANDE SI„„

TEHEU !

DRAiiiNG

?

DRAIING

OUF! ÇA SE CALME, ILS SONT TOUS PARTIS!...

C'EST PAS PLUS MAL!...

AH, TIENS!... ÇA VA MIEUX NOS VOIX!... L'EFFET DU PRODUIT SE DISSIPE!...

TIENS OUI!

PAR CONTRE, IL Y A UNE CHOSE QUI EST UN PEU IDIOTE, LÀ, AVEC VOTRE PRODUIT QUI REND TOUT LE MONDE APHONE...

AH BON?... ET QUOI DONC?...

BEN, COMME ON N'A PAS ENTENDU UN SEUL MOT DE CE QUI S'EST DIT...

...ON NE SAURA JAMAIS CE QUI S'EST PASSÉ DANS CETTE HISTOIRE!

26

BEN... J'AI FAIT CE QUE J'AI PU, MOI, MAÎTRE !

JE VOIS !...

FAÇON DE PARLER !...

ENFIN, MAÎTRE, QUE ME REPROCHEZ-VOUS, À LA FIN ?...

... J'AI FAIT EXACTEMENT CE QUE VOUS M'AVIEZ DIT DE FAIRE, NON ?...

... JE SUIS ALLÉ CHEZ L'ÉLECTRICIEN DU COIN COMME VOUS ME L'AVIEZ DEMANDÉ...

PEUT-ÊTRE, MAIS...

JE LUI AI DEMANDÉ, COMME VOUS ME L'AVIEZ DIT, UNE AMPOULE NEUVE...

... POUR REMPLACER CELLE-CI QUI VENAIT DE SAUTER...

... L'ÉLECTRICIEN ÉTAIT DE BONNE VOLONTÉ, MOI AUSSI, D'AILLEURS...

MAIS C'EST PAS MA FAUTE À MOI S'IL N'AVAIT PLUS EN MAGASIN...

... QU'UNE AMPOULE SPÉCIALE POUR PHARE BRETON !

FIN

MAIS OUI... SOUVENEZ-VOUS!... LA GÉLULE QUI DÉSHYDRATAIT... QUE MATHURINE AVAIT AVALÉE PAR MÉGARDE CROYANT FAIRE PASSER SA MIGRAINE ET QUI N'ÉTAIT AUTRE QUE VOUS-MÊME... QUAND JE SUIS ALLÉ VOUS RÉCUPÉRER AVEC LE SOUS-MARIN RÉDUIT?

OUI, OUI, JE M'EN SOUVIENS!

EH BIEN, JE VAIS ALLER VOIR DANS VOTRE TÊTE CE QUI SE PASSE...

FAITES CE QUE VOUS VOULEZ, DU MOMENT QUE ÇA S'ARRÊTE!

BOBO!

NOUS SERONS TRÈS RAPIDEMENT FIXÉS!

C'EST VRAI QU'IL N'A PAS L'AIR DANS SON ASSIETTE!

PRÊT?

PRÊT!

ALLONS-Y ALORS!... ET DANS LA JOIE!!!

CLIC

ZII!

DOUUUCEMENT!!!

HOP!

GLOU!

30

ÇA Y EST!... JE SUIS DANS LA PLACE!

OÙ ÊTES-VOUS MAÎTRE?

J'ARRIVE À HAUTEUR DE VOTRE ESTO-MAC ET??...

ÇA SENT LE BIDE!

TIENS!?... VOUS METTEZ DU KETCHUP SUR VOS ÉPINARDS, VOUS?...

ET LÀ ... QUE VOIS-JE DONC ???

JE SENS QUE CETTE HISTOIRE VA MAL TOURNER!

... EUH! ... BON! ... JE FAIS DEMI-TOUR! ... DE TOUTE FAÇON, LE CERVEAU C'EST DE L'AUTRE CÔTÉ!

EH!

ET ALORS, MAÎTRE ? ...

... C'EST QUE J'AI TOUJOURS MAL À LA TÊTE, MOI! ...

J'AVANCE, J'AVANCE!

CH'EST UN PAUV' BASILE, ÇA MADAME!

AH! ... J'ARRIVE DANS LE CRÂNE!

ÇA ALORS ???

QUE ... QUE SE PASSE-T-IL MAÎTRE ?

JE VEUX EN AVOIR LE COEUR NET!

31

VOUS N'AVEZ VRAIMENT QU'UNE CHOSE EN TÊTE, VOUS! ... JE CROYAIS AVOIR RÊVÉ! ...

... EH BEN NON!

J'EN AI MA CLAC !

MAIS ENFIN, BERNADETTE, JE T'EN SUPPLIE !...

... RÉFLÉCHIS !

C'EST TOUT RÉFLÉCHI !

... JE NE RESTE PAS UNE MINUTE DE PLUS DANS CETTE MAISON !...

... QUE DIS-JE ?... CETTE MAISON ?...

... CETTE SALLE DE TORTURE, OUI !... ET JE PÈSE MES MOTS !...

MAIS QUE SE PASSE-T-IL DONC AVEC BERNADETTE, MAÎTRE !...

BEN !...

... BEN, ELLE N'EST PAS CONTENTE DU TOUT !...

... EN VÉRITÉ, ELLE EST CARRÉMENT FURIEUSE ...

... JE CROIS QUE C'EST À CAUSE DE MA DERNIÈRE INVENTION !...

POUAH !

NOM D'UN KILO DE TROP !... J'AI L'IMPRESSION D'AVOIR PRIS DU POIDS !

MAIS ÇA NE VA PAS SE PASSER COMME ÇA !

VOUS DEVEZ FAIRE QUELQUE CHOSE !

VOUS, LÀ, LE GÉNIE !...

MOI ?... MAIS QUOI DONC, GRANDS DIEUX ?...

AVANT TOUT, UN PÈSE-PERSONNE !... L'ANCIEN EST FOUTU !... ALORS, LE NOUVEAU, VOUS EN PROFITEREZ POUR ME LE FAIRE ENCORE PLUS EFFICACE !... QU'IL ME RACONTE LA STRICTE VÉRITÉ SUR MON POIDS !...

LA STRICTE VÉRITÉ DE CE PÈSE-PERSONNE N'OBÉRAIT RIEN FAIRE EN DEHORS DE LA PRÉSENCE D'UN BON AVOCAT !

RACONTER, DITES-VOUS ?... LÀ, MATHURINE, VOUS ME DONNEZ UNE IDÉE !...

DISCIPLE !

CHUIS LÀ !...

34

VOUS M'ÉPATEREZ TOUJOURS AVEC VOS PETITS ENDROITS CALMES POUR FAIRE VOS PETITES SIESTES !

ENFIN, BON !... FAUT FAIRE AVEC !

... J'AI BESOIN DE VOUS !

PSCHHH

IL FAUT UNE NOUVELLE BALANCE POUR MATHURINE !... ALLEZ ME QUÉRIR DES TÔLES QUE VOUS EMBOUTIREZ SUIVANT LE PETIT CROQUIS QUE VOICI !

AH !... RAMENEZ AUSSI LE PROTOTYPE DU PERROQUET QUE J'AVAIS CRÉÉ POUR LE BARON D'HUR DE LA FEUILLE, LE MALENTENDANT !

ÇA ROULE, RAOUL !...

ON M'APPELLE ?

DZI !!! KLONG RAAH BING AOUILLE !

BONJOUR ! JE M'APPELLE COCO !

SALUT, MOI, C'EST RAOUL !

MAIS NON, PAS LOLO !... COCO !... C'EST POURTANT PAS DIFFICILE !

C'ÉTAIT UNE BELLE INVENTION... MAIS, QUI S'EST DISPUTÉE AVEC LE BARON !... C'ÉTAIT PAS FACILE !

ARRÊTEZ DE HURLER !... ON N'EST PAS SOURD !

MAIS QUI TE PARLE DE FAUX-CILS ?...

ARRÊTEZ-NOUS ÇA, DISCIPLE !...

CLIC

NOUS ALLONS DE CE PAS MODERNISER LE PÈSE-PERSONNE !...

...EN LE FAISANT PARLER !

VOUS ÊTES GÉNIAL !

ÇA, JE CROIS QU'IL LE SAVAIT DÉJÀ !...

35

... DEUX RESSORTS ET TROIS SOUDURES...

AH !... PASSEZ-MOI L'AIGUILLE, DIS...

... CIPLE !??

BON !... JE CROIS QUE TOUT DEVRAIT FONCTIONNER !... PLUS QU'À METTRE LA PETITE BATTERIE DE 9 VOLTS...

VOILÀ, MATHURINE !... C'EST PRÊT !... VOUS POUVEZ VENIR POUR LE PREMIER ESSAYAGE !

VOYONS ÇA !...

É-VI-TEZ-DE-VOUS-PE-SER-A-VEC-UNE-ENCLU-ME-DANS-LES-BRAS !...

MAIS CETTE MACHINE ESSAYE D'ÊTRE DRÔLE, MA PAROLE !...

PAS MA FAUTE À MOI SI VOUS AVEZ PRIS DU POIDS !

... POIDS QUI EST D'AILLEURS DE...

HOULÀ ! PAS MAL POUR UN DÉMÉNAGEUR !

ATTENTION À CE QUE TU VAS DIRE !

EUH... POIDS QUI EST DE 44 ET 900 GR !

36

... MAINTENANT, SI VOUS VOULIEZ BIEN DESCENDRE... JE FATIGUE UN PEU !

PFF !

OUF !... MERCI, VOUS M'AVEZ SOULAGÉ D'UN FAMEUX POIDS !...

GROSSIER MERLE !

IL DORT !... LE GAZ SOPORIFIQUE A FAIT SON EFFET!

RONFL!

C'EST PAS TROP TÔT!

ZZZ!

ÇA N'A PAS ÉTÉ FACILE DE L'ATTRAPER, PAS VRAI ?...

RONFL!...

PAS FACILE ?... C'EST UN EUPHÉMISME...

ZZZ!...

NOUS ALLONS POUVOIR LUI INSÉRER LA MINI-CAMÉRA !...

RONFL!

VOUS DEVINEZ, JE SUPPOSE DISCIPLE, LA PORTÉE DE MON INVENTION !...

VOUS SAVEZ, MOI, VOS INVENT...

ZZZ!

PAF

... MAIS JE... J'IMAGINE QUAND-MÊME, BIEN ENTENDU !... TOUTES VOS INVENTIONS ONT UNE IMMENSE PORTÉE...

... BIEN SÛR!

GRÂCE À L'INJECTION D'UNE MINI-CAMÉRA, NOUS SERONS "DANS" L'OEIL DU CHAT ! ON POURRA DONC CONNAÎTRE SA VIE 24H SUR 24 GRÂCE À CET ÉCRAN, LÀ...

38

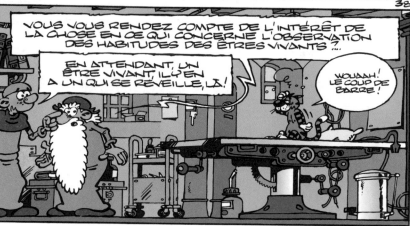

VOUS VOUS RENDEZ COMPTE DE L'INTÉRÊT DE LA CHOSE EN CE QUI CONCERNE L'OBSERVATION DES HABITUDES DES ÊTRES VIVANTS ?...

EN ATTENDANT, UN ÊTRE VIVANT, IL Y EN A UN QUI SE RÉVEILLE, LÀ!

WOUAAH! LE COUP DE BARRE!

39

41

OH !... REGARDEZ, DISCIPLE !...

... LA CHATTE DE MADAME FLANELLE !

RON ! RON RON !

RON ! RON RON !

PETIT PATAPON !

CLICLIC

TU VIENS, GRAND FOU !

EUH !... ON VA COUPER UN INSTANT !... L'ÉCRAN CHAUFFE !

C'EST RIEN DE LE DIRE !

CLIC !

LONGTEMPS PLUS TARD...

BON !... BEN, JE... JE CROIS QU'ON PEUT LE RALLUMER, IL A DÛ REFROIDIR !

QUI ÇA ?...

L'ÉCRAN, ANDOUILLE !!!

HUM !... RAOUL A L'AIR FATIGUÉ, DIRAIT-ON !...

ÇA VA ! ÇA VA !

43

NON, DISCIPLE, **NON !**

ÇA VA, TOI ?...

ON PEUT PAS SE PLAINDRE

BON PIED, BON ŒIL !

COMBIEN DE FOIS FAUDRA-T-IL VOUS RÉPÉTER DE NE JAMAIS METTRE LE BOLDOCLOQUE SUR LE SUPERTROUBILLE, SOUS PEINE DE PROVOQUER UN ÉNORME COURT-CIRCUIT !

BLIZZ

DRAIIIING

ON A SONNÉ, DISCIPLE !...

J'Y VAIS !...

EUH... BONJOUR !...

VOUS VOULOIR QUOI ?... JE PRÉVENIR VOUS, NOUS PAS ARGENT, NOUS PAS POUVOIR ACHETER TAPIS !

NOUS PAS POSSIBLE !

VOUS COMPRIS MOI ?

44

ON ENTEND BIEN QUE VOUS N'ÊTES PAS D'ICI DEPUIS LONGTEMPS, VOUS !... VOUS PRATIQUEZ UN SABIR POUR LE MOINS ÉTONNANT !... VOUS AURIEZ INTÉRÊT, ET CE SANS TARDER, À PRENDRE DES COURS DE LANGUE !...

MAIS VOUS PARLER CORRECT ??

EUH... EXCUSEZ-MOI !... JE VOULAIS DIRE QUE... BREF... QUE PUIS-JE POUR VOUS ?...